D1277477

Pour Rachel et Philippe

Loi numéro 49 956 du 16 juillet 1949 sur les publications
destinées à la jeunesse : mars 2002
Dépôt légal : mars 2002
Imprimé en France par IFC à Saint-Germain-du-Puy

Mireille d'Allancé

Quand j'avais peur du noir

l'école des loisirs
11, rue de Sèvres, Paris 6e

La journée est finie.
Comme chaque soir, Maman dit à Robert :
« Tu viens ? C'est l'heure d'aller se coucher. »
« Déjà ? »

Robert traîne dans l'escalier.
« C'est pas marrant, là-haut. Il fait tout noir et il y a des monstres qui sont cachés. »
« Il n'y a aucun monstre », dit Maman, « je vais laisser la lumière allumée sur le palier. »

« Et je laisse aussi la porte entrouverte.
Bonne nuit, mon chéri. »

« Ça ne sert à rien », dit Robert,
« ils vont venir quand même. »

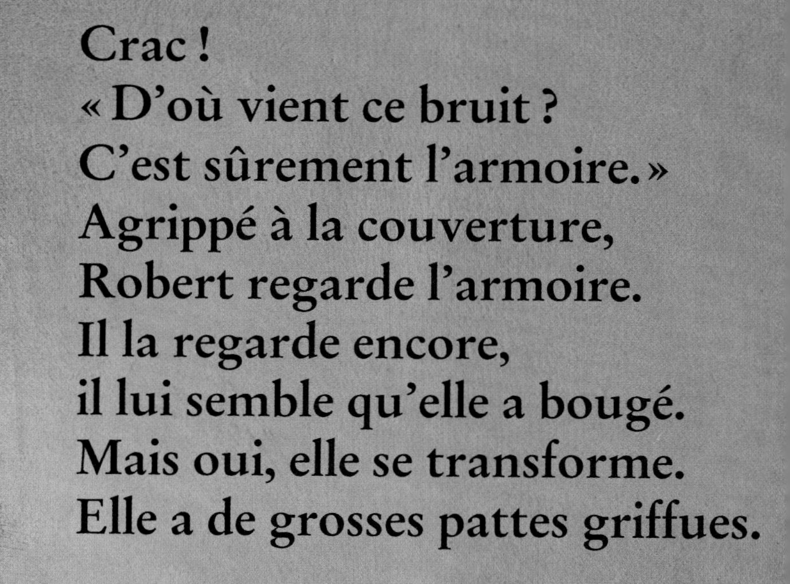

Crac !
« D'où vient ce bruit ?
C'est sûrement l'armoire. »
Agrippé à la couverture,
Robert regarde l'armoire.
Il la regarde encore,
il lui semble qu'elle a bougé.
Mais oui, elle se transforme.
Elle a de grosses pattes griffues.

Robert regarde le rideau. Oh non !
Il vient de bouger, lui aussi.
Il y a quelque
chose derrière.
On dirait des serpents.
Lentement,
Robert tourne la tête
vers la chaise.
Elle est en train
de se transformer.

« Nounours, tu es là ? »
demande Robert d'une petite voix.
Mais Nounours n'est pas dans le lit.

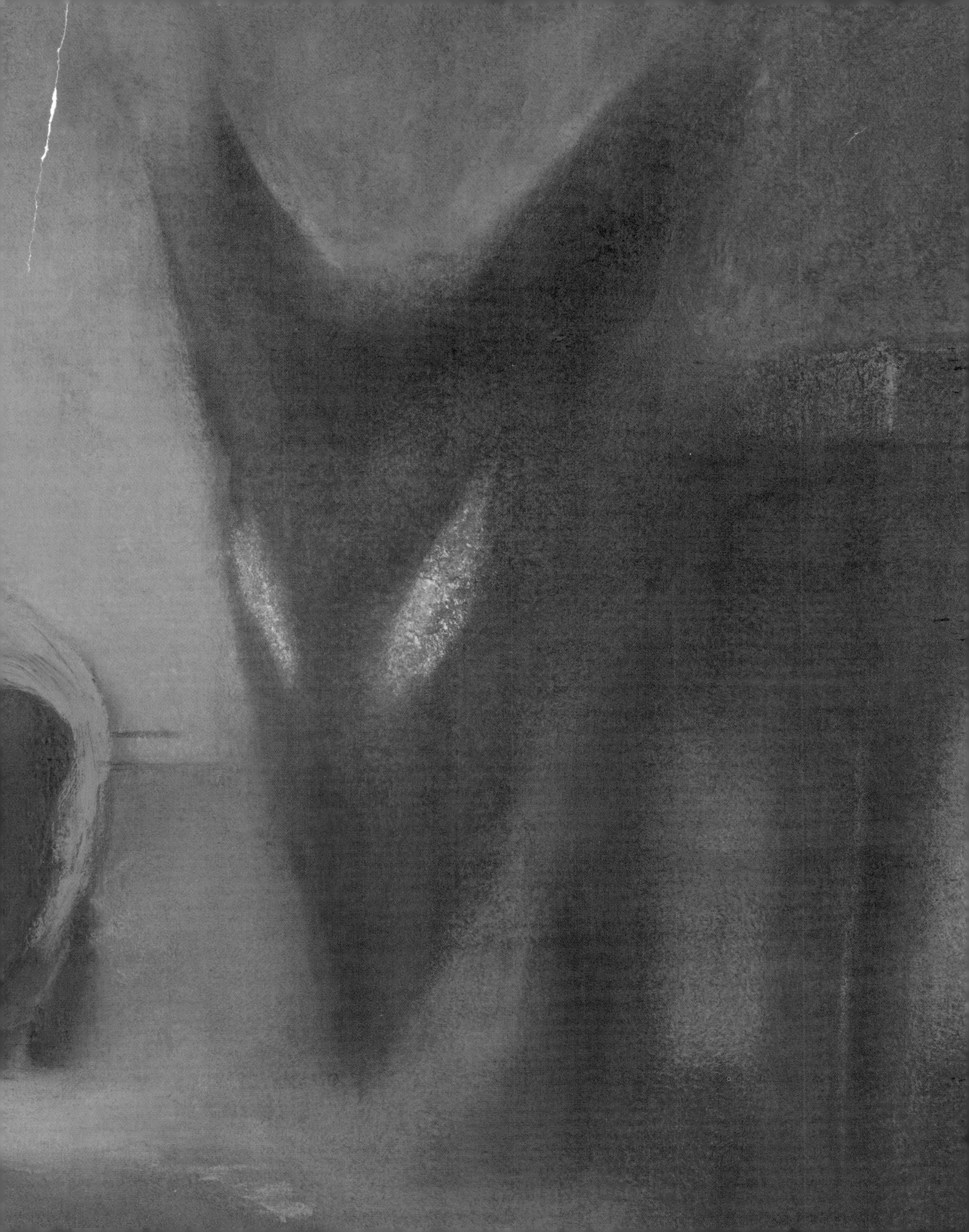

Il est là-bas, sur le coffre, il dort. Il n'a rien vu.
« Ne bouge pas, Nounours. Je viens te chercher. »
Robert rassemble tout son courage et sort de son lit.

Pourvu qu'il ne mette pas le pied
sur un serpent! Cette mare
en est certainement pleine.
« Courage, Nounours, on y est presque ! »

D’un bond, Robert saute sur le lit et soulève la couverture.
« Viens ! Cachons-nous vite ! »
« Nous cacher ? » demande Nounours, « mais pourquoi ? »
« À cause des monstres ! » s’écrie Robert.
Nounours sourit :
« Tu veux que je te dise un secret ?...

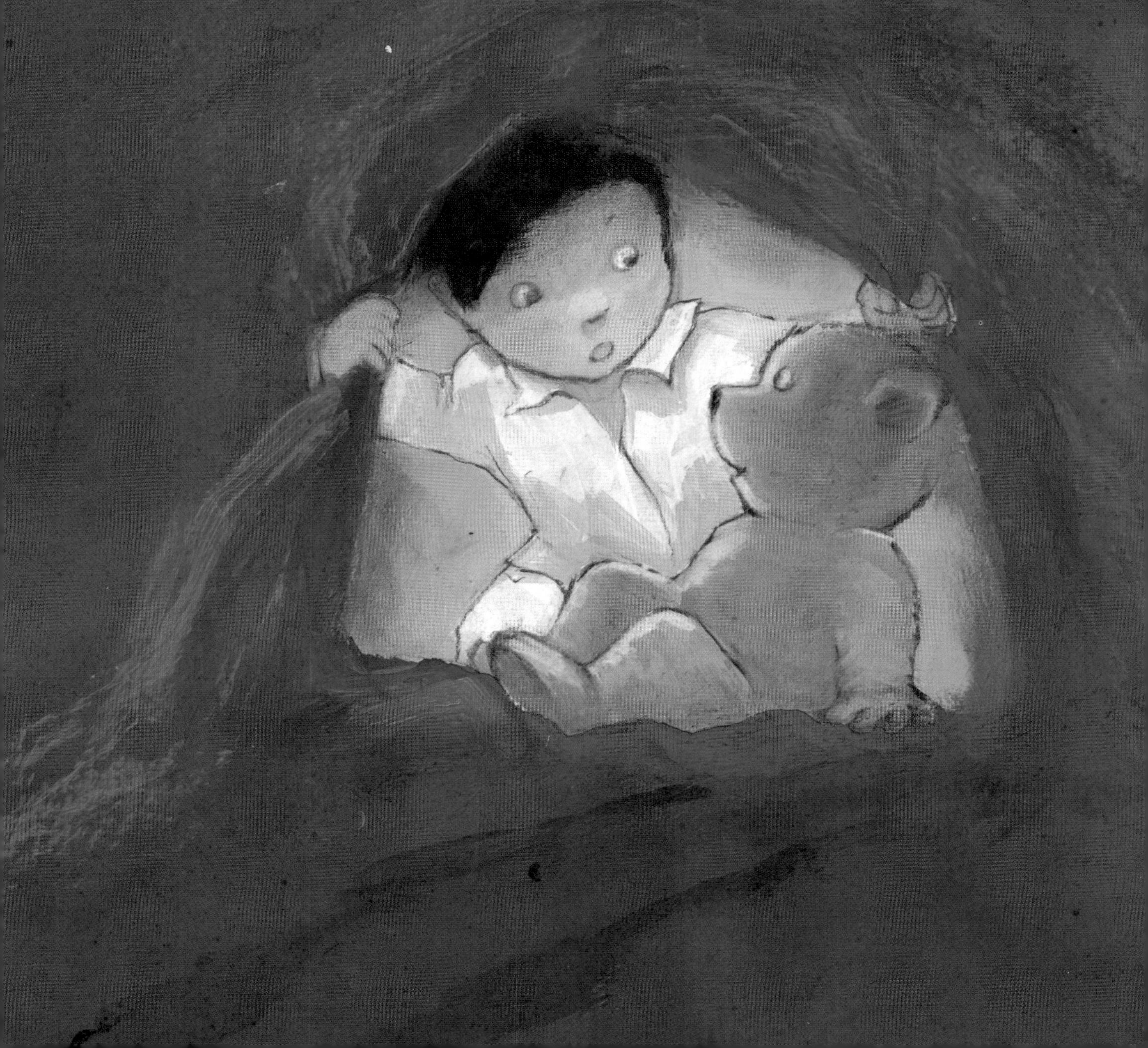

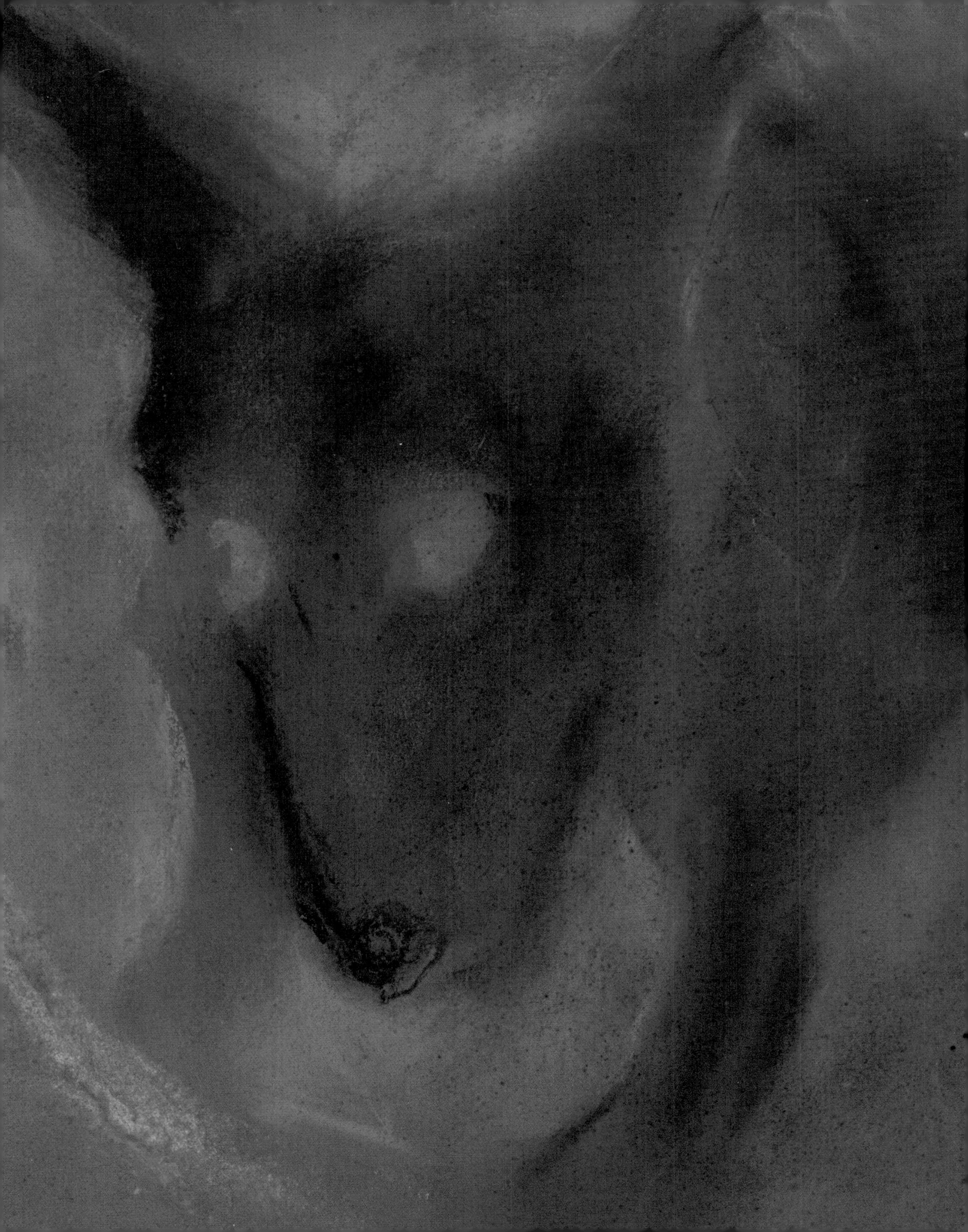

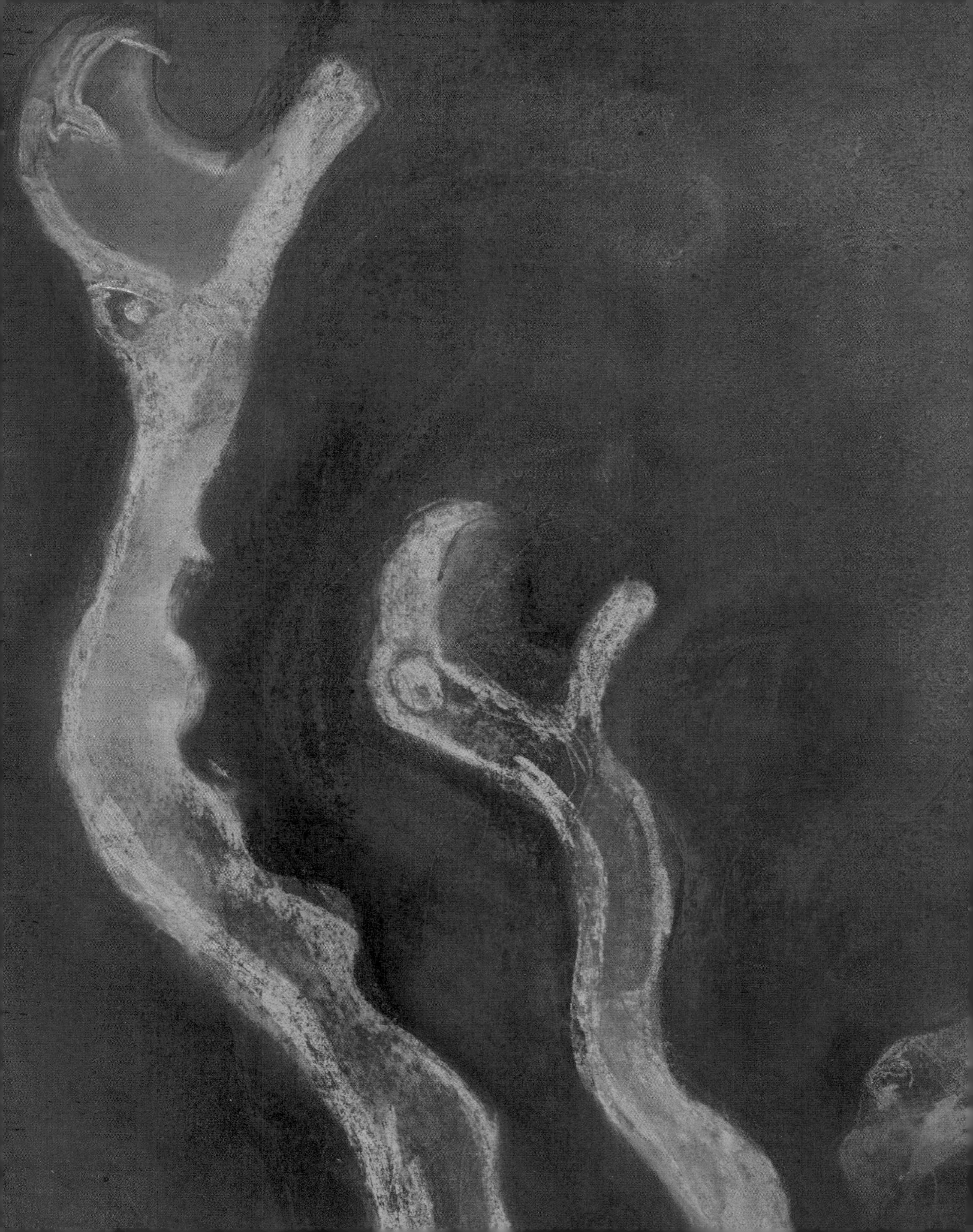

… Écoute. Tu te couches tranquillement, tu me prends dans tes bras, bien serré contre toi. Tu fermes les yeux et on va compter lentement tous les deux. Et tu verras, ils vont disparaître.

Robert se couche et se blottit
contre Nounours. Les yeux fermés,
il compte lentement…
six… sept… huit… neuf…
Il rouvre un œil, et…
« Ça alors, ça marche »,
chuchote-t-il à l'oreille de Nounou

« Évidemment. Ça marche toujours.
Allez chut ! Maintenant on dort. »